Madame B au zoo

Texte : Bénédicte Froissart
Illustrations : Mylène Pratt

Les petits albums • Les 400 coups

Nous remercions le Conseil des
Arts du Canada de l'aide accordée
à notre programme de publication
et la SODEC pour son appui
financier en vertu du programme
d'aide aux entreprises du livre et
de l'édition spécialisée.

Nous reconnaissons l'aide financière
du gouvernement du Canada par
l'entremise du Programme d'aide
au développement de l'industrie de
l'édition (PADIÉ) pour nos activités
d'édition.

Madame B au zoo

est publié sous la direction de
Christiane Duchesne.

Design graphique : Andrée Lauzon

Correction : Michèle Marineau,
Hélène Bard

Diffusion au Canada
Diffusion Dimedia inc.
539, boulevard Lebeau
Saint-Laurent (Québec)
H4N 1S2

Téléphone : 514-336-3941
Télécopieur : 514-331-3916

© Bénédicte Froissart, Mylène
Pratt et les éditions Les 400 coups

Dépôt légal — 1ᵉʳ trimestre 2001
Bibliothèque nationale du Québec
Bibliothèque nationale du Canada

ISBN 2-89540-026-1

Imprimé au Canada par
Litho Mille-Îles ltée
en janvier 2001.

À Mathilde et à Julia
B.F.

Madame B reçoit
une lettre : la famille
Chimpanzé l'invite à
partager avec Fripon
un gâteau aux bananes.

Fripon est fou de joie.

Quand Madame B va au zoo, elle apporte toujours des ciseaux, une casserole, du tissu et des babioles.

Les voilà arrivés. Madame B entend la hyène pleurer à chaudes larmes. Pauvre hyène ! elle est privée de visites pour s'être trop moquée de l'âne.

Près de la cage des singes, Madame B aperçoit le lion dans un triste état. Elle entre dans sa cage. Elle passe un coup de balai, secoue les rideaux et nettoie le salon. Sur son lit, le lion grelotte : il est grippé. Madame B lui prépare un thé bien chaud et le couvre d'une grosse couverture.

Madame B passe devant l'enclos de l'autruche, toujours aussi coquette avec son chapeau et ses petites lunettes. Mais, aujourd'hui, son sourire n'a pas la lumière des jours heureux. Ses enfants sont partis hier dans un autre zoo. Madame B la rassure :
— Vous les reverrez bientôt ! Ils viendront vous rendre visite…

Dans la cage du gorille,
les choses vont tout
autrement. Il y a du papier
partout. Son ordinateur
est devenu fou. Le gorille
reste calme, il réfléchit.
Ses petits prennent les
feuilles, dessinent,
bricolent, découpent.

La gazelle, toujours charmante, invite Madame B à prendre un verre d'orangeade. Elle lui montre les robes qu'elle vient de coudre et lui en offre une.

Le hibou devrait dormir
à cette heure. Mais non,
il est encore debout et
termine un tableau. Il
prend le temps de parler
avec Madame B. Ils
adorent passer des heures
à se raconter toutes
sortes de choses.

Fripon s'impatiente et
court chez la famille
Chimpanzé.

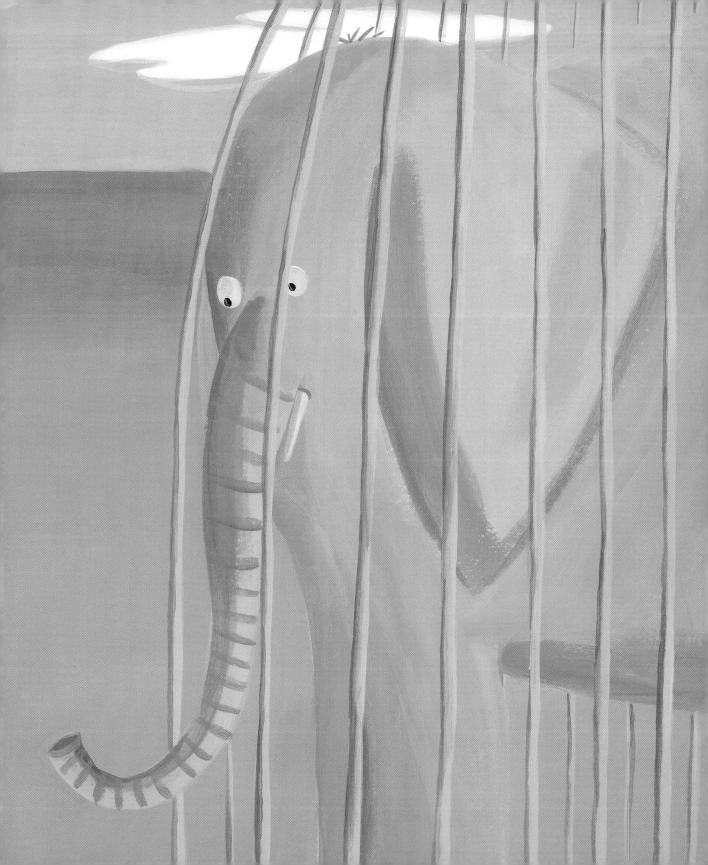

Madame B s'avance doucement. L'ours a horreur qu'on le dérange. Il dort. Madame B pose sur sa table un pot de miel, et pas n'importe lequel. Du miel de pommier, son préféré.

Juste avant d'arriver,
Madame B prend en
photo la famille Boa,
dont la fille se marie.
Quelle cérémonie !

Enfin, Madame B arrive
chez la famille Chimpanzé.
Ils commençaient à
s'inquiéter, voulaient lui
téléphoner pour s'assurer
qu'il ne lui était rien arrivé.

Madame B a passé un bon
après-midi, Fripon a bien
ri. Il est temps de rentrer.

Fin